Éstas son las guardas.

Ésta es la portada de mi libro.

Te dice que el título del libro es

El libro sobre libros del conejo Mateo

y el nombre del autor (la persona que escribió las palabras) es

Frances Watts

y el ilustrador (la persona que dibujó las imágenes) es

David Legge

Y el editor es

Ahora, ¡vengan conmigo!

Ésta es la página de créditos.
Te explica más sobre quién es el editor.

Para David Francis y David Legge. AL
Para Ali y Belinda. DL

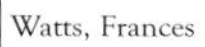

Watts, Frances

El libro sobre libros del conejo Mateo / Frances Watts ; ilustrado por David Legge. 1a ed.
Buenos Aires : Unaluna, 2008.

16 p. : il. ; 23x21 cm.

Traducido por: Ana María Cabanellas

ISBN 978-987-1296-38-5

1. Literatura Infantil Australiana. I. Legge, David, ilus. II. Cabanellas, Ana María, trad. III. Título
CDD 828.993 4

Título Original: *Parsley Rabbit's Book about Books*

Traducción: Ana María Cabanellas

ISBN: 978-987-1296-38-5

Distribuidores exclusivos:
Editorial Heliasta S.R.L.
Viamonte 1730 - 1er. piso (C1055 ABH)
Buenos Aires, Argentina
Tel.: (54-11) 4371-5546 - Fax: (54-11) 4375-1659
editorial@unaluna.com - www.unaluna.com.ar

Queda hecho el depósito que establece la Ley 11.723.
Libro de edición argentina
Impreso en China, Marzo 2008.

Algunas veces tiene información para ayudar al bibliotecario a saber en qué estante debe poner el libro.

La próxima página es mucho más interesante.
Es donde el libro realmente comienza.

Yo soy el Conejo Mateo.
Éste es mi libro,
y TU eres el lector.

¡Esperen!
¿Adivinaron sobre qué trata
este libro?

(Algunas veces el título
les da una pista.)

Las palabras en mi libro se mueven
de izquierda a derecha a través
de la página. ¿Las puedes
señalar con tu dedo?
Simplemente sigue el
camino de las zanahorias.

Cuando hayas terminado
de leer las palabras y de mirar
las imágenes de esta página,
puedes pasar a la página siguiente
y ver la **sorpresa increíble**
que te está esperando allí

Los libros tienen todo tipo de formas y tamaños
y siempre tienen páginas para dar vuelta.
Algunos libros son grandes y con muchas ilustraciones
y otros son pequeños y con muchas palabras.

O una solapa puede usarse para esconder algo emocionante.

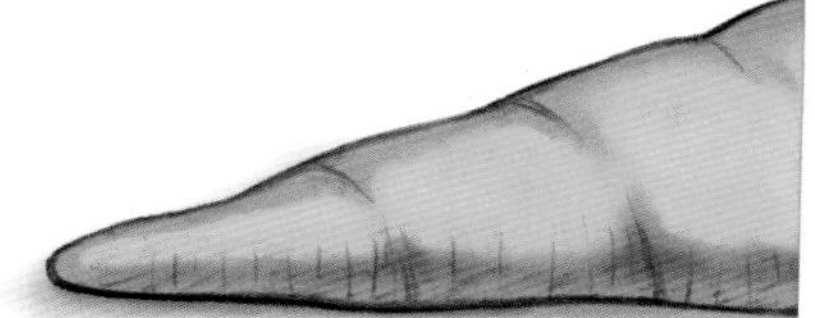

Los libros pueden contarnos historias maravillosas.

Hay historias que te hacen reír (podría ser una historia sobre un conejo que cuenta cuentos muy graciosos).

Hay historias que te hacen llorar
(quizás una historia sobre un pobre conejo
al que no le quedan más zanahorias).

También hay libros que te hablan sobre el mundo
que te rodea. ¿Sabías que hay libros sobre conejos?
Te dicen hasta qué altura pueden saltar
los conejos, y qué les gusta comer,
y cuán largas tienen sus orejas.

¿Cuáles son tus libros favoritos?

Puedes compartir tus libros favoritos con tu familia,
con tus amigos y con tus maestros.
Si eres muy bueno, hasta puedes compartirlos
con tu hermanito.
¿Con quién te gustaría compartir tus libros?

Puedes leer libros en cualquier lugar. Puedes leerlos en el colegio y puedes leerlos en tu casa. Quizás alguien te lea un libro todas las noches antes de irte a dormir.

¿Dónde lees tú tus libros?

Si realmente te gusta un libro,
lo puedes leer una, otra y otra vez.
Creo que un libro es el mejor regalo
que te pueden hacer.
¿Qué te parece, Bruno?

Ahora ustedes llegaron al final
de mi libro. Pueden darse cuenta
de que es el final de mi libro
ya que no hay más páginas.

¡Hasta pronto!